키메라 사랑 시집

키메라 사랑 시집

발행 | 2024년 11월 08일
저자 | 이동우
펴낸이 | 한건희
펴낸곳 | 주식회사 부크크
출판사등록 | 2014.07.15(제2014-16호)
주소 | 서울특별시 금천구 가산디지털1로 119 SK트윈타워 A동 305호
전화 | 1670-8316
이메일 | info@bookk.co.kr

ISBN | 979-11-410-7674-0

키메라 사랑

시집

이동우 지음

슬픈 자들이 물었다.

"사랑이란 무엇입니까?"

그러자 시인이 말했다.

사랑! 절대악이자 필요악!
그것은 너무나도 순수해!

해바라기

오직 그대만을 화사하게

꽃내음 일생

꽃길이었다 꽃길이었다
다시 보니 무한한 꽃밭이더라

그대는 천사

그대 어디에 가더라도
그대 아래에는 꽃길이 있고
그리고 그대는 천사.
그리고 그대는 천사.
-그런데 큰 날개로 날아갈 수 있는
그리고 그대는 천사. 근데 행복한.
그런데 항상 축복이 가득한
웃음 가득한
-무엇이든 극복할 수 있는 천사

사랑의 대서사시

우리는 어느 역사에서나
항상 비참한 결말을 맞이했지만
우리는 어느 시대에서나
항상 진정한 사랑을 찾아 나섰다

우리는 결국 비참했지만
우리의 사랑은 결코 비참하지 않았다

우리는 늘 실패했지만
우리의 사랑은 진리 따위 초월해 빛나고 있었다
찬란하게, 그것은 아주 찬란하게
위대하게, 그것은 아주 위대하게

그것은 찬란하고, 아름답고, 즐겁고,
때로는 춤을 추고, 때로는 격렬하고, 결국엔 아름답게
우리의 모든 사랑들은 결국엔 결말은 위대하게
찬란하고 환희에 가득 차
종교 진리 따위 초월해 아득히 빛나고 있었으니까.

"아득히 빛나고 있으리라"

찬란하고, 아름답고, 즐겁고, 때로는 춤을 추고,
때로는 격렬하고
결국엔 아름답게, 아득히 빛나고 있으리라

어느 역사에서나
어느 이야기에서나 사랑은 영원히 빛나리라
아득히 빛나고 있으리라
그러니 당신도 언젠가 위대한 사랑을 찾고
아름다운 이야기를 전해주고, 노래하고, 사랑해서
세상은 그대의 사랑 이야기로 가득히 빛나고 있으리라

사랑과 죽음은 같은 것

사랑과 죽음은 같은 것
사랑과 죽음
끝내 영혼을 파멸로 이끌고
그것의 가속도는 점점 붙어
더 빨리 신화적 나락으로
더 빨리 신화적 나락으로

사랑과 죽음은 같은 것
뒤엉키며 서로의 등을 떠미는 것

어여쁜 나비

나비야 나비야
날아가는 나비는 대답을 하지 않고,

나비야 나비야
날아가는 나비는 뒤돌아보지 않고

도도하게
아름답게 도도하게
어여쁜 나비는
도도하게
아름답고 도도하게

구름이 지나가요

구름이 지나가요
구름이 지나가요
알록달록 아름다운 색깔
알록달록 아름다운 무지개 색깔
화창한 그곳엔 두고 온 소년의 꿈이 있대요
그곳엔 춤추는 토끼님과 예쁜 토끼님이 있대요
알록달록 아름다운 색깔
알록달록 아름다운 색깔
구름이 지나가요
구름이 지나가요
어여쁜 그곳엔 두고 온 소년의 꿈이 있대요

해바라기를 알려요

해바라기 해바라기
너는 곧 예쁜 꽃 어여쁜 것

너는 곧 무럭무럭 자라서 위대하게 될지어다

노을 지는 시골 마을

노을이 죽어가고 있다
그간의 희로애락을 모두 담아
과거로 잔류하며 이제는 역사가 된다.
따뜻한 마을의 나무는 부수어지며
빨갛고 정겨운 냄새를 흩날린다.

주민들에게도 은총이 전해진다.
누군가는 사랑
누군가는 노동 뒤 술판
누군가는 슬픔과 비애
누군가는 사소한 행복
그리고 누군가는
나에게는 상실의 기쁨이라 전하겠다.

사랑의 연주

사랑의 연주
사랑의 연주

사랑하는 사람이 다가와
내게 아름다운 이야기를 해주면
그날 하루는 행복한 하루가 되는 것이다

그런 것
그런 것

사소하고 행복한 것

사랑의 연주
사랑의 연주

여름 같은 사랑

사랑은 마치 여름처럼
뜨겁고 살인적이고
열정적이고 엽기적인 것.
그것의 내부는 혼돈으로 가득 차 있다

건드리면,
그것을 건드리면!
온갖 광기가 쏟아져 나온다!

주워 담을 수 없다!
이미 그 주인은 눈이 멀었다!

모든 것이 아름답고 행복하게 보인다!
모든 것이 아름답고 행복하게 보인다!

사랑의 별, 우아한 낙하

문득 저 멀리 별똥별이 떨어진다.

이 세상은 별마저 슬픔인 듯하다.

황금빛 길

-황금빛 금가루 태양이 발산하니
강으로 황금빛 위대한 길이 열린다-

그녀와 나는 황금빛 거대하고 화창한 위대한 길을 걷는다. 나는 너무나도 기쁜 것이어서 그녀의 손을 꼭꼭 붙잡고서는, 감히 사랑한다고도 말 못 한다.
이 위대한 오후, 이 위대한 오후.

하얀 오리가 강으로 가서 우아한 체조를 하고선 우리에게 말을 거는 듯 꽥꽥거린다.
"사랑인가!"

이 위대한 오후! 위대한 오후 다섯 시. 이 저무는 오후.

이 화창한, 겨울이지만 그녀의 손 덕분에 따뜻한 남자,
남자 덕분에 따듯한 여자는 이 화창한, 겨울이며 여름이며
화창하고 소박한 추억의 중학생 소년과 소녀는 흐붓한
태양 아래 서 있다.
죽지 않는 위대한 산은 우리를 반긴다.
아직 끝나지 않았다!
그녀와 나는 산책로를 걸으며 생각한다.
그 어느 저급한 무리가 와도 떠나가지 않으리.
그 어느 악한 존재가 와도 저물지 않으리.
이 위대한 멜로디는. 이 소박하고 위대한 대천사의 노을만
큼이나 순박하고 투박하고 정겨운 감촉이 소년과 소녀를
아름답게 감싸 안으니, 이보다 더 축복일 수가!
그 어느 지나가는 것들도 감히 우리를 막을 수 없다.
끝나지 않는 멜로디.
태양은 감히 인사한다! 그대 소년 소녀여!
"사랑하고 싶다! 뜨겁게 사랑하고 싶다!
마지막까지 사랑하고 싶다! 죽도록 사랑하고 싶다!"
그러나 소년과 소녀는 끝끝내 그 말을 서로 내뱉지 못한
채, 황금빛 산책로를 걷는다.
태양은 이미 정점에 와 있는가!

아까 꺾었던 갈대를 소녀는 자기의 귀에다 걸어본다.
아아 끝나지 않은 사랑 노래. 그녀는 소년을 마주 본다!
그들의 영혼을. 결코 끝나지 않는 길. 소년은 소녀를 따라 갈대를 귀에 걸어본다.

"귀여워"

그녀가 말한다. 날이 따뜻해진다. 점점. 조금 쉬었다 가기로 한다. 소년과 소녀는 산책로 아래에, 강둑에서 쉬기로 한다. 아무도 없다. 그들 빼고는. 그들은 앉는다. 위대하고 소박하게. 거대한 태양은 그들 머리 위에서 빛나고, 소녀는 소년의 무릎에 담요를 덮어준다.
소녀랑 소년은 같이 앉아 있다. 그저 순수한 사랑.
소년은 아무 상상도 할 수 없다.
그저 순수한 사랑. 소녀는 아무 상상도 할 수 없다.
그저 순수한 학생들의 순수한 사랑.
그저 순수한 학생들의 첫 번째 사랑.
아찔하다. 그 어느 상상을 해 보아도 지금보다 더 행복할 수는 없기에. 그 어느 행복한 상상도 다 이것 아래에 있기에. 어느 꿈도 이보다 더 꿈 같을 수는 없으리라.
소녀는 생각한다.

"고백을 지금 할까 말까. 아니면 그가 지금 하려나."

소녀는 그러며 자기의 어깨를 소년에게 붙인다.
"그냥 기다리자."
소년과 소녀가 동시에 생각한다. 그들은 황금빛
위대한 태양을, 얼굴에 받으며, 언젠가는 주인이
돌아올 버려진 배 옆에 앉아 있다.
이대로 시간이 멈추었으면, 모든 것이 끝나버렸
으면, 모든 이야기가 이렇게 끝이 났으면 모든 위
대함이 이것이라면 하며 태양이 생각한다.
소년과 소녀는 동의한다. 끝나지 않는, 태양의 한
구석에 앉아 있는, 화창한 태양의 흐지러지는 한
구석에 앉아 있는, 위대한 소박함의 그들.
이야기는 여기서 끝나면 좋겠다. 강으로 황금빛
길이 열린다. 소년 소녀는 그곳에 다다르고 싶다.
그 위대함에 다다르고 싶다. 그리고 평생 소박하
게 서로서로 살고만 싶다. 그는 그녀의 아픈 과거
까지도 사랑하고 싶다.
그는 그녀의 모든 해이한 것까지, 그녀는 그의 해
이한 모든 아픔까지 사랑하고 싶다! 황금빛, 저
화창한 길을 건너면 우리는 다다를 수 있을까?
순수한, 변치 않는 위대한 길을 갈 수 있는지?
영원한 설레임이 있을 수 있는지!
아픔마저 사라진, 선물의 세상에 도달할 수 있는
지! 끝나지 않는 시골 소년 소녀의 사랑 속으로
들어갈 수 있는지! 흐지러지는 저 그림 속을!
그이와 어찌 행복할 수 있는지!

이 아픈 세상에서도 어찌나 아름답게 사랑할 수 있을 려지!
영원히 그이와 산에서 아름다운 길을 잃을 수 있을까?
그이와 함께 영화를 볼 수 있을까?
가끔은 정해진 길에서 빠져나와 즐겁게 놀 수 있을까?
그리고 저번처럼 낙엽 아래서 뒹굴거릴 수 있을까?
낙엽에서 뒹굴거릴 때, 남자가 말한다.
"나는 너무 고독해."
"으이구, 으이구 이리 와."
하며 안아줬었지. 한 삼십 분 동안 우리는 그렇게 가만히 있었지! 우리는 계속 이럴 수 있을까! 소박한 나무며 풀이며 산책이며 작은 과자며 길이며 집이며 편지며 대화며 인사며 즐거움이며 설레임이 영원할 수 있을까! 그러한 소박함이 영원할 수 있을까! 가끔 길 가다가 그의 이름을 부르고는 그를 설레게 할 수 있을까! 영원히 더욱더 그대를 사랑하고 싶어.
이러한 그들 뒤에는 학교가 흐뭇하게 웃고 있다.
서로 손을 잡고 이제는 집으로 돌아간다. 다시금 산책로를 걷는다. 그녀는 남자에게 "사진 한번 찍자. 이럴 때는 사진을 찍어줘야지." 라고 말한다. 그러며 그녀는 아까 꺾은 갈대를 잡고 뒤돌아선다. 갈대는 선선한 바람에 살랑인다.

남자도 갈대를 잡고 뒤로 돌아선다. 꽉 찬 떡대의 남자가
뒤로 돌아서고, 조그마한 갈대 하나 떨리고 있으니
그런 그의 모습이 너무나도 귀여웠던 그녀는
"풉, 귀여워"
라고 말한다.

-황금빛으로 빛나는 우아한 강이었다-

어느새 버스 안이다. 갈 시간이 다 되었다는 것이다.
그녀는 고된 하루에 지친 몸을 남자의 어깨에 기대고는
도착을 기다린다. 그녀는 그를 한번 불러본다.
"저기"
"응?"
"그냥 불러봤어."
서로 배시시 웃는다.
잠시 후 소년과 소녀는 소녀의 집 앞에서 작별 인사한다.

그녀는 생각한다.
"소년은 왜 고백을 안 할까. 내가 좋은 건 맞겠지?"
소년은 생각한다.
"오늘도 고백을 못 해 버렸다."
그러나 그들은 실망하지 않는다.
결코 실망하지 않는다.
다음이 있기에! 다시 떠오르는 태양 있기에! 다시 떠오
르는 노을이 있기에! 다시 피어오르는 노을이 있기에!
다시 나타나는 황금빛 강 있기에! 그러다가 다시 떠오
르는 태양이 있기에!

다시 피는 화창함 있기에!

다시 생기는 위대함 있기에!

저 너머로

어둠을 헤치고 진리를 넘어서
행복을 넘어서 사랑을 넘어서
사랑을 넘어서 그대의 곁으로
사랑을 넘어서 그대의 곁으로

그대의 손잡고 그대의 손잡고
그대의 손잡고 그대의 손잡고

그대 곁
그대 곁
사랑 넘어 사랑 너머
그대의 손잡고 그대의 손잡고
그대의 손잡고 그대의 손잡고

제목없음

소년은 소녀를 사랑하고 싶어 합니다.
그들은 무언가를 갈망합니다. 그렇게 아무 일도
없는 것처럼 춤을 추지만 결국에는 그것을 갈망
합니다. 혁명에 물들어 위대한 깃발 저 높이
흩날린다. 소년은 노예가 되었고 다시 주인이
되었다. 그것입니다. 소녀는 마침내 재가 되어
몸이 사라졌나? 그리고 소년은 그렇게 우울감에
빠지고 소녀는 소년과 언젠가는 신적인 존재가
되어 또다시 사랑을 하며 행복을 기원하며 동상
을 남기고 그림을 그릴 것이며 시를 쓰고 춤을
추며 깃발 저 높이 흩날린다! 그러나 다시 수갑은
채워지며 우리의 Romance
그렇게도 서글프게 돌아갔습니다.

행복을 빌어요

행복을 빌어요
그것이 달아나지 않게끔
잘 단속하시길
행복 행복 행복이란 녀석
정말 정말 골치 아픈 어린애거든요.

심지어 사춘기예요!
말도 안 듣고 엉망진창이지!

그렇지만 그 심장은 누구보다 따뜻한 걸요
누구보다 따뜻한 심장을 가지고 있거든요

긴 여행의 행복

그냥 기분 좋으면 되는 것
그냥, 웃는 것
차 안 라디오에서
사랑 노래가 나오면
옆에 있는 인연을
조용히 지켜보는 것
흐뭇하게 웃는 것

이 세상 그 어떤 진리를 모르더라도
이 세상 그 어떤 명예를 모르더라도
이 세상 그 어떤 부가 없더라도
이 세상이 그토록 재미없더라도
이 세상이 너무나 잔혹하더라도
이 인생이 너무나 절망적이더라도

적어도 이 순간

이 시간만큼은

나는 그대를 사랑합니다

라고

조용히 생각하는 것

봄과 함께 춤을

봄이 왔어요.
푸릇푸릇 새싹들이 자라나요.
저기 슬피 우는 젊은이는
무엇을 고민하고 있을까요?
내 음악을 들려주고 싶어요.
행복을, 행복을 주고 싶어요.
내 말로 기운을 차리게 해주고 싶어요.
젊은이여, 이젠 일어날 때이니
모든 슬픔은 내가 가져갈 테니 너는 나아가라.

그대에겐 행복만이

그대에겐 거룩한 기쁨만이
그리고 위대한 천사와 그것의 사랑과
그리고 그것을 울부짖는 악마들!
그리고 그 위에서 사랑을 하는 천사들
그리고 그 위에서 사랑을 하는 천사들과 그대
그대와 위대한 구원들, 위대한 구원들,
그리고 그 위에서 사랑을 하는 그대 천사,
그리고 그 위에서 사랑을 하는 그대 천사

첫사랑

나의 모든 영혼을 그대에게 바치겠습니다

그대 아름다움에 나의 눈멀어 버리겠습니다

.

사랑과 왈츠

경쾌한
경쾌한
사랑스럽고 경쾌한
꽃과 꽃신과 꽃밭
그리고 장미
사랑스럽고 경쾌한 꽃과 꽃신과 꽃밭
그리고 장미
그리고 장미
그리고 아마 사랑스러운 냄새
그리고 아마 사랑스러운 냄새

-그대 꽃길만 걷길
-아마도 그건 왈츠일 거야 사랑스러울 거야
-그리고 아마도 사랑스러운 냄새와
-그대의 아름다운 영혼 그것은 장미일 거야
-그대 밟는 모든 곳 그곳은 꽃밭
-그리고 아마도 사랑스러운 꽃들과
-그대의 아름다운 영혼 그것은 장미일 거야

별에 대하여

"그거 알아? 사실 별은
우리가 보는 지금은 이미 죽어있을 수도 있대.
우리는 지금 이미 사라지고 없는 별을 보고 있는지도 몰라.
빛이 우리에게 보일 때쯤이면
그 별은 사라지고 없을 수도 있다고.
어디에선가 봤어. 멋지지 않아? 없어지고 사라져야 비로소
그것의 아름다움이 보인다는 거.
뭔가 슬프지만 낭만적이야. 마치 우리의 인생 같잖아.
사람들은 소중한 사람이 있을 때는 잘 모르다가,
그 사람이 없어지면 그제야 슬퍼하고 그리워하는 거처럼."

사랑고백

사랑합니다.
사랑했고, 사랑하고
또다시 사랑할 거고
역시나 사랑할 겁니다.
영원히 사랑할 겁니다!

벚꽃 장미 어여쁘게

벚꽃 장미 예쁘게
벚꽃 장미 어여쁘게
아름답고 예쁘게
우아하고 단아하게

벚꽃 장미 예쁘게
벚꽃 장미 어여쁘게
아름답고 예쁘게
우아하고 단아하게

별로 들어가고 싶다

타오르는 별 속으로 들어가고 싶다
그곳에서 나의 사랑을 스스로 불태우고 싶다

사랑의 별똥별

별똥별은 떨어지며
별똥별은 떨어지며
사상 최악의 불길을 발산하고
불길을 발산하며
불길을 발산하며 자신을 불태우며
결국에는 사라지는 불나방
결국에는 사라지는 불나방
별똥별은 떨어지며 자신을 불태우며
별똥별은 떨어지며 자신을 죽이며 불길 발산하며
결국에는 떨어지는 운명의
결국에는 떨어지는 빨간색 별
결국에는 떨어지는 운명의
결국에는 떨어지는 욕망의 별

사랑에 대한 결론을 내리다

나는 내가 사랑하는 사람과
국내 배낭여행을 포함해서 세계여행까지 다녔다.
그중에서 가장 기억에 남는 추억은
배낭여행을 하다가 발견한 이름 모를 강 주변을
함께 걸었던 것. 그녀와 함께.
그녀가 저 강 아래에 있는 선착장에서 잠시 쉬자
고 해서 내려갔다. 오리 배를 타는 곳이었다.
그곳은 더 이상 운영을 하지 않는 것 같았다.
불이 꺼진 가게 사이로 잔잔한 햇빛이 들어가는
데, 커튼이 암막 커튼이 아니라서 살짝살짝 안이
보이는 듯했다. 커튼은 먼지가 가득했으며 그 안
에는 바가 보였다. 사람들이 앉는 의자도 보였다.
언제가 그 안에서 사람들은 마파두부를 먹었을
것이다. 도토리묵을 먹었을 것이다.

어떤 부모와 함께 운동을 위해 힘들게 산책길을 걸어온 아이는 자기가 타던 자전거를 힘들어서 부모에게 떠넘겨 버리고 철없게도 안에 혼자 달려 들어가서, 그 술꾼 아버지는 어쩔 수 없네 하며 막걸리를 먹었을 것이고 그 어머니는 아버지를 째려보면서 눈치를 줬을 테고 아이는 아무것도 모른 채 천진난만하게 맛있는 도토리묵을 기다리고 있었을 것이다.

그때 시각은 아마도 오후 9시쯤이었을 것 같다. 그리고 그 강 앞으로는 멋진 야경이 흐트러지며 우리 어른들에게 잠시나마 현실을 망각할 수 있는 도피처가 되었을 것이고 아이들에게는 희망이, 시인들에게는 낭만이 되었을 것이다.

그 아버지는 막걸리를 먹으면서 창밖을 보았다. 술꾼에게는, 취하기 좋은 안줏감이. 그리고 가게 주위로 최신 가요가 흘러나와 이 낭만을 뒤덮었을 것이다.

나는 그러한 누군가의 추억이 있는 것만 같은 곳을 씁쓸한 웃음을 지으며 쳐다보고 있었다.

그곳은 정말이지 시간이 지나서 아무도 남지 않았다고 해도, 그 낭만은 사라지지 않았다.

오히려, 더욱 로맨틱했다.

사라지기 전에는 몰랐던 거야. 사라지고 나서는 끔찍하게도 이토록 아름다웠다는 걸 깨닫게 된다. 그래서 고통스러운데, 그래서 낭만적이다.

이것은 사랑이고. 우리는 이 사랑을 망각하기 위해 새로운 사랑을 찾아 떠난다. 배를 타고. 저 낭만적인 강을 건넌다.

어떤 의미가 있을까?

세상은 반복된다. 우리는 Romance 연결되어 있고, 우리는 같은 하늘 아래 사랑을 반복한다.

몇 번이고 낮밤이 바뀌어도

몇 년이 지나도

몇십 년, 세대가 지나도, 시대가 지나도

너무나도 흔한 이야기지만, 우리는 이것을 망각하고 살아간다. 새로운 사랑과 희망을 찾기 위해.

아름다운 꽃 앞에서 연인들은 소원을 빈다.

그 꽃은 지역 전설로 내려오던 특별한 꽃이었는데

몇천 년이 지나도 절대 죽지 않는다는 꽃이었다.
시들지만, 다시 피어나는 꽃.
그 꽃 앞에서 얼마나 많은 일들이 지나가고, 수많은 연인들
이 지나가고, 꽃은 그렇게 피고 지고 많은 새로운 연인들은
계속해서 그곳을 방문하고, 또다시 꽃은 피고 져버리기를
반복하고
몇십 년, 몇천 년이 지나도 그 꽃은 피고 지고를
반복하며 살아있고. 꽃 앞에 있던 사람들은 결국 부서지고
사라져 버렸지만 다른 새로운 사람들이 그곳을 찾는다.
정말 의미 없다. 아무런 의미가 없고 모든 것은
사라질 뿐이다. 꽃이 피고 지듯이 인간, 그리고 인간
을 포함한 모든 것들은 영원할 것처럼 폈다가, 만개했다가,
추한 냄새를 내며 떨어지고, 또다시 피고, 지고,
그것의 반복.

나는 그렇게 느꼈다.
그렇게 멍하니 있었다. 그녀는 나를 조용히 쳐다
보고 있었다. 몇 분 동안이나 그렇게 기다리다가
결국 참지 못하고, 나의 볼을 콕 찔렀다.
나는 깜짝 놀라 고개를 돌렸다.

그녀는 나의 볼에 뽀뽀했다. 그리고 웃었다.
아무런 의미가 없고 시들어 버린다. 추하게 시들
어 버리고 밟힌다. 아름다울 때는 모두의 사랑을
받지만 늙고 쓰러지면 그것은 의미가 사라진다.
빗자루로 쓸린다. 구석장에. 이름도 모를 누군가
다른 사람 곁으로.
그러나 그녀도 아무런 의미가 없는 것인가?
지금 나를 장난스레 바라보고 있는 그녀도
의미 없이 끝나버리는 낙엽과 같은 것인가?
그녀와의 기억, 감정, 경험들도
결국 끝나버리니까 아무런 의미도 없을까?
그래. 아무런 의미도 없어.
분명히 아무런 의미도 없다.
언젠가는 끝나버리니까.
이건 찰나의 순간일 뿐이니까.
나 말고도 수많은 사람들이 이 같은 생각을
지금껏 해 왔겠지.

그녀의 시선이 계속해서 느껴진다.
나를 뚫어져라 바라보고 있다.

멍하니 있는 나에게 또 다른 장난을 치려고 하는
듯하다.
그녀 특유의 향수 냄새가
은은하게 흘러들어온다.
....
그래도
아무런 의미가 없어도
누군가에게 감동을 줄 수 있다면
누군가에게 좋은 영향력을 줄 수 있다면.
그리하여 누군가가 감동의 눈물을 흘리고 누군가
와 사랑을 공유하고 나누고, 웃을 수 있다면
이 모든 걸 알면서도 또다시 누군가를 사랑할 수
있다고 생각한다면, 지금 내 옆에 있는 사람에게
진심을 다한다면.
바보 같지만 꽤 괜찮지 않을까?
거창한 이유 같은 게 있어야 할까?
꼭 절대적인 진리나,
삶의 의미 같은 게 있어야 할까?

그래야 할지도 모른다.

그래. 그런 가치가 없다면 도피일지도 몰라.
그러나 사소한 선물에 감동을 받고
누군가를 사랑하며 사소한 거에 행복해지고
위트 있는 말에 기분이 좋아지고
누군가의 친절에
기분 좋은 하루를 보낼 수 있다면
그리하여 결국 지금 행복하다면,
혹은 누군가에게 행복을 줄 수 있다면
그걸로 된 거 아닐까.
아무런 의미 따위,
절대적인 진리 따위 없어도 행복하잖아.
세상의 진실. 이딴 거 사실 필요 없잖아.
진리를 찾지만 그것이 고통스럽다면 진리 따윈
필요 없을지도 모른다.

결심했다.
우리가 받은 좋은 영향을 남들에게도 전해주자.
물론 힘들겠지만 끊임없이 그러려고 노력하자.
나와 그녀의 아름다움은
후세에도 영원히 전해질 거야.

알려지지 않아도
다른 사람한테 말하지 않아도
아무도 몰라도 정말 한 명도 몰라도
분명 그 아름다운 정신은 전해지는 거야.

"바보 같지만 멋지네."

"응?"

그녀의 말에 나는 상상에서 깨어났다.
아아, 나는 여기 선착장에 앉아 있었지.

"뭐가?"

51

내가 물었다.

"저기 저 오리들 좀 봐! 어미 오리를 따라 거센 물길을 거슬러 올라가려고 하잖아. 뒤뚱거리는 게 너무 귀여워. 그리고 아무런 생각 없이 어미 오리를 따라가는 아가들도 너무 귀엽고."

"...응"

"멋지다고 생각해.
넘어지면서도 계속 나아가는 게.
한편으로는 귀여워서 응원해 주고 싶어."

"...그렇구나."

나는 살짝 건성으로 대답했다.

"그러니까. 우리 오리고기 먹으러 가자!"

그녀가 주먹을 쥐고 크게 외쳤다.

"....."

"뭐?"

나는 화들짝 놀랐다.

"저 귀여운 오리를 보고도 그러고 싶어?....너 처음부터 오리고기 먹고 싶었지? 애초에 저 오리는 관심도 없었고."

"들켰나?"

우리는 서로 마주 보며 웃었다.

여름날의 데이트

고기와 육즙
터지며 펑팡
그리고 그곳엔 샴페인이 펑팡
그리고 많은 고기들이
그래 많은 고기 육즙들과
갈릭의 향 그래
그래 많은 갈릭의 향들과
그녀와의 데이트 그래 그건 토마호크
그녀와의 데이트 그래 그건 그녀를 위한
반지를 꺼내며 그래
그래 역시 고귀한 다이아몬드
그래 그래

그래 역시
그것은 역시 해가 넘어지는 레드와인이었다
토마호크였다
화이트 와인이었다 혹은
아름다운, 그녀를 위한 아름다운 낭만들이었다

해가 스러진다
해가 스러진다
오후의 끝자락
떨어질 거 같은 끝자락 위험한
마치 오르톨랑처럼 오르톨랑 요리처럼
금단의
금단의 구역 위험한

그녀와 나
그녀와 나였다
위험한
위험하고 금단의 구역의 우리였다

발칙하게, 우아하게!

발칙하게,
우아하게!
아름답게 위대하게!
조용히, 슬프게!
조심스레 다가가서 거대하게!
근사한, 최선의 선택과 사랑을!
아름답게 위대하게!
발칙하게,
우아하게!
근사한, 최선의 선택과 사랑을!

발칙하게 우아하게 아름답게 위대하게!
발칙하게 우아하게 아름답게 위대하게!
위대한 선택과 거룩하고 아름다운 우아한 사랑!
위대하고 거룩하고 아름다운 우아한 거대한 사랑!

-근사한, 최선의 선택과 사랑!
-근사한, 최선의 선택과 사랑!

사랑의 꽃잎

꽃잎이 살랑살랑 예쁘게 살랑살랑
꽃잎은 살랑살랑 그대 유혹유혹
마치 살랑살랑 그대 살랑살랑
같이 살랑살랑 춤추자고 살랑살랑

아카시아의 시인

아카시아의 시인
아카시아의 시인
아이 예뻐 아름다워 아카시아의 시인
아이 좋아 아이 좋아 마을의 음유시인
아이 좋아 아이 예뻐 마을의 순수시인
순수시인 순수시인 순수시인 순수시인

아카시아

아카시아

아카시아의 순수시인

시골의 흔한 풍경

이름 모를 나무의 열매를
새들이 짹짹거리며 먹는다.
잠시 후 도움닫기를 하며
총총거리며 날아간다.
날아간 그 새들의 밑으로
어느새 다람쥐 하나 다가와
떨어진 어떠한 것들을 주워 먹는다.
그날은 해가 넘어가는 오후.
그 아래로는 한 시인이 흐뭇이 그들을 보고 있다.
그날은 해가 넘어가는 오후.
로맨틱한 햇빛이 우아하게 죽어가는 오후였다.

곧 황혼이 찾아오고
나의 글과 슬픔 기쁨. 시는 마침내 쓰이겠지

사랑이겠지.
행복일 것이다.
해님은 죽는 대신 우리 모두에게 사랑을 줄 것이다...

일몰의 시간이다

낭만
개미는 기어가고 새는 날아가고
낭만
물은 소용돌이 다시 생겨나고
낭만
이름 모를 강아지와 고양이는 놀고 있고
낭만
낭만은 낭만은 거룩하게 사라진다…

기억된다는 것

누군가에게 기억된다는 것은
누군가에게 있어서 영원히 존재하는 것.

그 기억 속에서는
영원히 흑백이지만 감동적으로 재생되는 것.
흑백이지만, 어떨 때는 또 컬러 같고
결국에는 흑백이지만
그래서 더 감동적이고

영원히 돌아가는 것. 적적한 영화관에서
그, 그녀 혹은 어떤 무언가는
아름다운 꽃밭에서
세상에서 가장 행복한 웃음을 짓고 있는 것.

사랑이란 뭘까

나는 잘 모르겠다
신은 우리에게 사랑이란 죄를 내렸으며
또한 우리의 눈을 천으로 가려버렸다
우리는 헤매는 것
우리는 헤매는 것
진정한 사랑을 찾았다고 생각하다가도
우리는 헤매는 것
우리는 헤매는 것

그러나 사랑에 헤매는 것은
언제나 우리에게 즐거움을 준다

카메라 필름은 슬피 울어요

내가 본 세상은
고통받고 아파
내가 사랑하는 그대만은
부디 행복하기를
이 아픈 세상에서
너만은 꼭 아프지 말길

부탁이야
상처받지 말아 줘
그 행복함 그대로
그 긍정적인 너 그대로
있어줘 부탁이야

내가 본 세상
번뇌의 세상
그 세상에 나타나 버린

넌 부디 행복하기를
이 지옥의 세상은
우리를 땅속으로
우리를 땅속으로

우리 그냥 도망갈까
그러나 그럴 곳이 없다
그 어느 곳을 가더라도
사악한 중력이 우리를 잡아당기고 있다

어떻게 해야 할까
어떻게 하면 나는
환하게 웃는 네 모습
지킬 수 있을까

지킬 수 없는 거 아는데도
지키고 싶어
계속해서 있으면 좋겠어
나 정말 이기적이다

그럼에도 너의 미소는
이 세상이 멸망해 버린다고 해도
이 세상이 언젠가 소멸한다고 해도
너의 그 미소는
계속해서 지킬 수 없는 거 아는데도

억지로 웃으란 말 아냐
슬플 때는 울고 화날 때는 화내야 하면서도
단지 너의 영혼이 아릴 뿐
단지 너의 영혼이 아릴 뿐
너의 영혼 그 자체가
상처받지 않기를
그럼에도

세상이 너무 아프다
나도 너무 아파
이 세상 사실 너무 두려워
이겨내려고 해도 자꾸 나를 끌어내리려 해
두렵다 두렵다 두렵다
그럼에도 이 세상 어딘가에는 네가
행복하게 있을 거란 생각에 오늘도 버틴다

나 너무 아파
사실 울 거 같아
아니, 울고 있어
물론 아무도 찾아오지 않고
위로해 주지 않아
그럼에도 난 이 세상 어딘가에서 네가
행복하게, 아이처럼 천진난만하게 웃고 있을 거란
그런 위대한 바람에 지금도 버티고 있어

너는 행복하게, 아이처럼 천진난만하게
위대한 웃음 짓고 있겠지.
아아 나는 지금도 버티고 있어.
너의 예쁜 그 미소를 보며

이제 또다시
고통이 찾아올 시간이야

저기,
날 보고 한 번만 웃어줄래?
환하게, 흐뭇하게 웃으며

죽기 전에 마지막으로 눈에 담아둘게
사랑스러운 너의 웃는 모습을

-그리고 넌 웃는 모습이 예뻤어

서울의 야경천사

오후 11시 서울의 북적이는 거리

서울의 밤은 언제나 반짝이고 우아하다
보석처럼 고급지고 위대하고 아름답다
널 닮았어
사람들은 어딘가로 늘 바쁘게 도전하고

그것은 널 닮았어

너의 찰랑거리는 머리카락을 닮았어

저기 누군가의 가방끈은 풀렸고
그 검은 가방끈은 네 우아한 머리카락을 닮았어

저 깊숙하고 큰 한강은
너의 큰 눈을 닮았어
그리고 그 앞에서 열리고 있는 버스킹
네 구슬 같은 목소리를 닮았어
환호하는 사람들 자신을 잃고 즐기는 사람들
네 위대한 열정과 도전정신을 닮았어

너의 아름다운 눈을 닮았어

저 깊숙하고 도시의 불빛 반짝거리는
초롱초롱한 네 눈을 닮았어
저 한강은, 네 큰 눈을 닮았고

너의 아름다운 코는
저 솟아오르는 분수를 닮았어
높게 높게 솟아오르는 분수
너의 예쁜 코를 닮았어

달님이 웃고 있고
그리고 그곳에서 너는 웃고 있고
그 입술은 아름다운 비율로 너는 웃고 있고

아아
어디선가
카운트다운 소리가 들려오고 있어
3
2
1
!

불꽃축제가 시작되고 있는 거야!
사람들이 저 멀리에 가득 모여있어
그리고 마침내 완벽한 밤이 되고 아름답게 모든 게 빛나고
완벽한 네가 돼.
마침내 이 도시는 완벽한 너로서 다시 태어나.
완벽한 네가
완벽한 네가 불빛과 우아하게 고급진 춤을 추고 있어

완벽하게, 위대하게, 이 도시는
그렇게 찬란한 환희의 밤을 보내고 있어

사랑해

사랑해

고백할게. 사랑해. 정말로 네 모든 걸 사랑해.

갑자기 이런 시를 쓰고 싶어졌어.

-내가 하늘을 올려보고 별들을 바라보자
-밤하늘 빛나고 그것은 다 네가 되었다.

-그리고 나는 그 강한 불빛에 눈을 멀어버렸고
-마침내 너는 내게 있어서 온 세상이 되었다.

그리고 이 시를 쓰는 순간
그것은 더 이상 시가 아니게 됐어

사랑이 됐어

사랑 한 큰술 넣은 완벽한 사랑이 됐어

사랑의 감광

나는 별인 거 같아
감광 주기 따위는 필요 없어
너를 위해서라면 바로 번쩍
1% 감광 99% 감광 다시 번쩍 다시 감광
다시 번쩍번쩍 극단적 감광 다시 그리고

또다시 사랑!

스타라이트

스타라이트를
온몸에 스타라이트를 두르고
사랑이라는 별에 퐁당
사랑이라는 별에 퐁당

나는 결국 불타오르겠지만
나는 결국 불타오르겠지만
사랑이라는 별에 퐁당
사랑이라는 별에 퐁당
스타라이트를 두르고
스타라이트를 두르고
사랑 속으로
사랑과 불타오르는 위대한 별 속으로
사랑 속으로
사랑과 불타오르는 위대한 별 속으로

사랑의 7분

그대에게 가기 위한
마지막 관문
공포의 7분
공포의 7분
나는 여기서 정신을 잃는다
공포의 7분
신호가 전달되기 위한 시간
너와의 거리는 1억 6000만 킬로미터
그렇게 먼 거리에
내가 너에게 말을 걸기까지의 시간

7분.

이 시간 동안 난 온전하지 못할 거야
정신을 잃고
나의 심장은 두근거리고
온몸의 피는 긴장해서 끓어오를 거야

오직 영혼만이 뜨겁게 날 조종할 거야

온몸이 빨갛게 불타오르며
겨우 착지하고 너에게 말을 거는 시간

1분

나의 진심을 전하는 시간
30초.
그중에 네가 웃는 순간
30초.

나도 사랑한다는 네 말에
순식간에 우리의 거리는 시공간 초월해

0킬로미터
0미터
30cm
10cm
5cm

점점 더 가까워지며

마침내 우리는 1.
1.

새로운 사랑이 시작되는 순간 1.
1.

사랑, 영원히

사랑은 늘 존재한다
우리의 마음속에 언제나
없어진 듯하면서도 언제나
모든 것이 없어지고
세상이 부수어지고 사라져도
생명이 다시 생겨나는 한 언제나

하트구름

구름에서 하트가
구름에서 하트가
구름에서 꿈과 희망의 사랑이
눈과 천국과 요정과 천사들
무한으로 날아다니며 키스를
그것은 아마도 크리스마스처럼
캐럴과 산타 선물 루돌프
그곳은 아마도 희망이 넘쳐나는
눈 펑펑 내리는 paradise

꿈과 노래 희망 찬란
깨지 않는 꿈 구름 찬란
그곳은 아마도 사랑 넘쳐나는
눈 펑펑 내리는 꿈의 paradise

서울의 깊어가는 우아한 밤

한강 주위에
많은 사람들이 있고
그들의 눈은 공허해서 눈동자가 안 보여
더 이상, 보이지 않아

그러나 괜찮은걸
행복
행복
그러니 괜찮아
행복 느낌
그러니 괜찮아

연인들부터 해서
자전거 동호회 사람들
운동하는 사람들
전화 통화하며 울먹이는 사람

한강은 그들에게 말하는 듯하다
내가 너희 아픔 모두 가져가겠으니
너희들은 너희의 슬픔 이곳에 버리렴
너희들은 이곳에서 울부짖고 슬피 울음을 참아라

라면 끓여 먹는 사람
낚시하는 사람
사진 찍는 사람
검은 야경에 빛나는 별들은 물결치고
눈에 안대를 두르고 다니는 사형수들
그런데도 빛은 아름답네
그런데도 빛은 아름답네

버스
버스가 지나가는 게 보인다
수많은 사람들을 끌어안고
아프지 않게
아프지 않게 끌어안고
그대들이여, 부디 아프지 말기를

어디로 갈까? 어디로 가는 걸까?
부디 그대들 집에 무사히 도착하십시오.

슬퍼하지 말고 슬퍼하지 말고
오늘도 진심으로 수고했으니
오늘도 충분히 아프고 울었으니
충분히, 세상의 시선에 버텼으니

텅 빈 콘서트장이 보인다.
한때는 저곳에 나도 있었을 텐데
한때는 저곳에서 무지개색 빛났고
노래 위에서 사람들은 춤을 췄어
노래 위에서 사람들은 춤을 췄어
그때 그 사람들은
마치 동화 엔딩처럼
그대로 행복하고 오래오래 살았습니다
마치 전설처럼
그대로 행복하고 오래오래 살았습니다

걷다 보니 두 갈래 길이 나뉜다
어느 길로 가면
더 큰 행복이 나를 반길까
나는 뭔가 사람이 없고

조용한 흙길을 택한다
가로등 빛은 예뻤어
가로등 빛은
그리웠어
예쁘고 아름다웠다

흙 밟는 소리
신발에서 찹찹찹 소리가 나는데
그 소리가 어찌나 좋던지
나는 마치 어린아이처럼
그 소리에 집중해
찹찹찹 찹찹찹
그때 킥보드를 타고 몇 명이 지나가
친구들. 아마도 친한 친구들
어쩌면 연인. 어쩌면 미묘한 관계
그들은 그들의 길로
그들은 그들의 길로

한강은 우리에게 말하는 듯하다
내가 너희 아픔 모두 가져가겠으니
너희들은 너희의 슬픔 이곳에 버리렴
너희들은 이곳에서 울부짖고 슬피 울음을 삼켜라.

그래서 그럴까
나도 그렇고 사람들도 그렇고
다들 한강을 멍하니 바라보며
취한다.
취기가 돋은 사람들은
멍하게 그들의 위대한 이상향을 그린다

건물이 높이 올라간다
높이 올라가고 그것은 휘어지기도 하며
그 건축물들은 랜드마크가 되기도 하며
은행이 되기도 하며 큰 아파트가 되기도 하며
어둠 속에서 야경은 빛난다
어둠 속에서 야경은 말한다
위대해지고 싶다 올라가고 싶다
어둠 속에서 야경은 빛난다
어둠 속에서 야경은 빛난다

한강에 취한 사람들은
생각이 깊어지고 그 눈동자는
더 이상 보이지가 않아
그 예뻤던 눈동자들

빛나지 않아
대신 야경은 빛나
대신 야경은 활짝 울고 있어

세상은 정말이지 아름답게 빛나
이 낭만적임은 이곳에서만 느낄 수 있는데
이 적적한 우울함은 여기서만 느낄 수 있는데
저기 저 가게에 사람들이 많아
회식일까 가족끼리 외식일까
친구들끼리면 술 게임도 하고 있을까
한 사람 몰아주고 있을까

사람들은 한강 앞에서
울음을 참고 있다. 한강은
그들의 아픔을 들어주는 대신
울을 것을 허락하지 않았다.
어른. 성인들. 현자 지식인.
그들은 모두 입을 틀어막고 울음을 참는다.

올라가고 싶어 명예를 얻고 싶어
힘을 과시하고 싶은 것들
본능. 이 본능대로 인간은 생존했고

한강은 우아한 파도 소리로 첼로를 연주
한강
한강은 우아한 파도 소리를 첼로로 연주

다들 웃고 있어
저 하늘에 보이는 별을 보며
이제는 잘 보이지도 않는 별 겨우 보며
그것을 신성시 여기고 아이처럼 좋아한다
가끔 떨어지는 별똥별
그들은 소원을 비는 것이다
한강에서 별똥별 흔적 사라지고
그들은 웃는 척하며 울면서 환호성 지르는 것이다

그 뒤에는 사람 없는 곳이
사람들은 별똥별을 보느라 한강 가까이에 있고
그 뒤에는 사람 없는 곳이

두 남녀가
아름다운 춤을 추기 시작한다.
서로의 새로운 냄새 서로 맡아가며
지금껏 본 적 없는 댄스를.

오 한강이여
그대는 너무나도 아름다워요

남자는 살포시 여자의 어깨에 손을 올리고

오 한강이여
그대는 나를 취하게 해요

여자는 남자의 손을 우아하게 잡는다

오 한강이여
이것은 위대한 기적
그대를 보고만 있어도
나의 가슴은 두근거리고
미칠 거 같아요
그대는 내 인생에 찾아온 기적
이 아픔의 거리도 이제는
행복해 보여요

서로 손을 맞잡는다.

그대 손잡고 걷는 이 도시는
너무나도 아름다워 보여요
저 야경을 봐봐요
너무나도 아름다워요

우아한 턴 동작을 한다
그리고 서로 맞잡고 키스를.
약하되 확실하게 키스를.

다시 뛰어다니며 춤을 추며
다시 빙글빙글 시작되는 그들의 턴 동작
남자가 여자의 허리를 잡고 멈추고

오 한강이여
그대 아름다운 포도주여

손잡고

오 한강이여
그대 위대한 선물이여

손 놓고

오 한강이여
그대 아름다운 슬픔이여

던지고

오 한강이여
아픔을 끌어안아 주는 그대여

다시 잡고

놓아주고

키스하고

영원히 반복되는 이 슬픔을 우리는 계속할 수밖에
이것이 사랑이라면 한 번만 더 하자 영원히 해보자
영원히 흘러가는 한강처럼
영원히 흘러가는 고통의 한강처럼
고독하게 흘러가는 영원의 한강처럼

고독하지만 도도한 사랑의 한강처럼
그리고 그 한강에 비친 야경은 너무 우아했어
그리고 그 한강에 비친 야경은 너무 우아했어
그리고 그 한강에 비친 야경은 너무 우아했어
그리고 그곳에 비친 너는
너무나도
지독하게도 아름다웠어

손잡고

손 놓고

던지고

다시 잡고

놓아주고

엔딩 따위 존재하지 않는 이 사랑 드라마의 마지막 씬은
남자가 한 손으로 여자의 허리를 감고
다른 손으로 머리를 감싸며
키스하는 씬.

악마의 사랑법

난 너를 사랑할 거야
무슨 일이 있어도
그것이 나를 파멸로 이끌더라도

내 자의식은
너로 인해 끝났고 너로 인해 태어났다
너로 인해 태어났고 너로 인해 끝날 거야
그러니까
난 너로 인해 태어났고 너로 인해 끝날 거야
내 심장은 너로 인해 멈춘다
너의 세계에서, 나의 심장은 너로 인해 끝날 거야
그것이 나를 파멸로 이끌더라도
그것이 나를 지옥으로 이끌더라도!

내 심장은 영원히 죽어가는 것
부활과 죽음을 계속해서 반복하는 것!

내 영혼은 오로지 너만의 것
내 영혼은 오로지 너만의 노예!

파괴와 재생, 죽음과 부활!
-불 속으로!
오로지 노예, 휘둘리는 영혼!
-파멸 속으로!

스스로를 믿자

어떤 일을 하더라도
가장 중요한 건 스스로에 대한 믿음
특히 사랑에서는

내가 바라는 세상

사람들이 조금만 더 서로를 배려하고
사람들이 조금만 더 서로를 사랑하고
사람들이 아프지 않고
상처란 단어가 없는
모두가 웃을 수 있는 마법 같은
행복한
그런 낭만의 시대가 열리면 좋겠다

거대한 별님

수많은 별들 중
네 별이 가장 크고 아름다워.
사실 넌 별이 아니지.
사람이야. 그리고 하늘에 떠 있지도 않아.
그런데 빛나고 있었어.
이상하게도, 너에게는 저 별들보다 더 밝은 빛이
그런 밝은 에너지가 있었어.
세상에서 네가 제일 아름다웠어.
멋있고, 존경스럽고,
너를 본 순간부터
너를 알게 된 순간부터 나는 별들이 필요 없게 됐어.
네가 그들보다 위대하잖아.
네가 그들보다 밝고 멋지고 아름답잖아.
너는 세상에서 가장 완벽하고 완전한 존재잖아.

사랑이 전해진다면

별빛이 우리에게 올 때까지
억겁의 시간이 걸리는 거처럼
언젠가 나의 이 작은 외침도
네가 발견하고 소중히 여겨준다면
나는 이미 사라졌겠지만
지금의 나는 행복을 느낄 거야

그대에게 사랑을 고백

심장에서 꽃이 피어올라.
그것은 아마도 널 위해 준비한
내 마지막 예술
내 마지막 영혼과
최후의 핏줄 하나하나 가득 담은
마지막으로 하는 사랑의 고백
그러니 그대여
이젠 나에게 영원한 안식을
그것의 사랑을
그것의 아름답고 쿵쿵 뛰는
아름다운 그대의 예술과 화풍과
위대한 그대를

언젠가
괴수의 총성이 울리고
나의 가슴에
그것은 쏜살같이 박히고
나는
마침내
위대한 모든 것을 잃었다.

길을 잃고
절망 속에서 보이는 유일한 것은
작게 빛나는 하나의 빛뿐이었다.

따라가지 않으면 죽을 거 같아
따라가 보니 그 길 끝엔 그대가 있었다.

그대는 나에게 유일무이한 것이 되었으며
앞으로 나의 세상 그 자체가 되었다.

그대를 사랑한다고 감히 외칠 수가 없었다.

로맨스 소설은 아니지만

언젠가 저한테 로맨스 소설 기대한다고 하셨는데
죄송해요. 그런 건 쓰지 못할 거 같아요
다만, 이제 단도직입적으로 말할게요
당신은 너무 아름다워요
이런 오글거리는 단어로밖에 표현하지 못해서
미안해요. 제 미천한 글쓰기 실력은 절대로
그대를 표현하기에 허락되지 않네요.

그러나 그대여.
나는 한편으론 이렇게 생각해요.
그 누구도 당신을 완벽하게 설명할 수 없다고
그간 존재했던 현자들, 신이라 불렸던 존재들
그 누구도 감히 이 세상 현존하는 단어로
그대를 완벽히 비유하거나 만들어 낼 수 없다고

그 자체로 빛나니까
그 자체로 멋지니까

이 세상 모든 것들은 전부 슬퍼 보이는데
다 아프고 쓰라렵고 눈물만이 나오는데
그대는 항상 밝은 색깔로 세상을 물들여요

이 세상은 항상 촉촉해요
생명들은 고통을 느껴서 항상 울어요
그 눈물이, 그 눈물이
너무나도 따뜻하고 슬퍼요
위로해 주고만 싶어요

그런데 그대는 그들을 안아주는 사람
그들을 응원해 주고 마음을 이해해 주는 사람
그들의 영혼을 진정으로 이해해 주는 사람
그들의 상처를 보고 진심으로 치료하는 사람

제 눈에 이 세상은 흑백으로만 보였어요
아무런 개성이 없고 칙칙했어요
그러나 그대 걷는 길마다 항상 밝게 만드는 사람
그대 가는 곳마다 밝은 색깔로 색칠하는 사람

당신은 사실 이 세상 사람이 아닐지도 몰라
당신은 사실 이곳 생명이 아닐지도 몰라
그만큼 다른 느낌이 들고 모두를 구원해 주고
모두에게 희망을 주고 항상 밝게 웃고 있고
무엇보다
당신은 그 누구보다 아름다워

가을의 기억

방황하며 나무는 흩날렸습니다
슬펐다. 나무는 흩날렸습니다
울었다. 나무는 흩날렸습니다...
손에 잡힌 나뭇잎은 다 죽어버린 낙엽이었습니다
슬펐다. 나무는 흩날렸습니다
앞으로도. 나무는 흩날릴 것입니다
손에 잡힌 나뭇잎은 그렇게 다 죽은 낙엽이었다
나는 그렇게 엉엉 울고 말았습니다

끝나지 않는 아름다운 가을날에
끝나지 않는 아름다운 가을날에
그것은 끝나지 않는 가을날

너무나 환상적이군요! 저 구름을 보세요!
맑은 하늘과! 그렇게 예쁜 사랑들과
나무는 다시금 흩날렸습니다! 다 죽어버린 낙엽들이었다

아픔과 고독의 숲

아픔과 고독의 숲
아픔과 고독의 숲 비올라
아픔과 고독의 숲 비올라 그리고 피아노
아픔과 고독의 숲 비올라 그랜드피아노

암전

막

어머니, 아버지

하늘을 보니 별이 가득하다.

우리 모두는 별에서부터 왔으니
저 하늘의 별은 어머니와 아버지인 셈이다.

초상화,
초상화라고 하겠다.

저 아름다운 모든 것들을
젊음의 아름다웠던 순간이라고 하겠다.

벚꽃을 사진 찍는 남자

봄이라는 녀석이
또다시 찾아와 버린다
나는 따릉이 타고 합정역 근처
벚꽃을 지나간다

사람들은 저마다 사진을 찍고
웃음을 짓고 추억을 찍는 것이겠지
그 벚꽃을 나도 사진으로 남기는데
문득 이런 생각이 드는 것이다
지금 내가 남기는 이 순간은
그 모습 정확히 그대로가 맞을까?
지금 찍은 사진을 나중에 보면
지금의 이 온도, 냄새, 향기, 지나가는 얼굴들
옷, 자동차 번호판, 새소리, 벚꽃에 대한 감정
이것들을 전부 떠올릴 수 있을까?

아니야. 그런 건 존재하지 않잖아.
그저 아무 감정 없는 차가운 사진
그저 아무 감정 없는 냉혹한 사진
순간은 그냥 기억으로 기록되잖아.
세세한 감정, 느낌, 그날의 냄새 같은
디테일은 전부 사라지고 그저
나중에 사진 보고 아 이랬지 정도잖아.
그 무엇도 지금을 완벽하게 기록할 수 없다.
소중한 순간은 한때의 기억으로 기록된다
나중에 기억을 되짚어 보며 그땐 이 감정이었겠지
하고 추측하는 게 최선이겠지.

그때의 너의 예쁜 미소는
그대로 담길 수 없다
뜬금없이 네 얘기 해서 미안
그런데 벚꽃이 느릿느릿 떨어지는 속도
꽃가루 그렇게 쓸쓸하게 쓰여지는
이 지독한 시는
마치 부서져 버린 너를 바라보는 것과 같아서

어쩌면 다를 수도 있을 거야
아까 말했듯이 순간은 그저 이야기가 되어버려
그때의 감정 그때의 세세한 디테일들
다 사라지고 그저 하나의 기억이 되어버린다
근데 너와의 순간은 아직 그렇지 않아
아직까지도 생생하고 너의 표정
너의 냄새 옷 편의점 영수증
모두 기억나. 아니 존재해 지금도
나에게는 아직 네가, 그때인가 봐
내 눈앞에는 아직도 네가 떨어지고 있나 봐

너는 사진을 찍는 걸 좋아했고
내가 네 사진을 잘 찍어주면
보상으로 볼 키스를 가볍게 해줬지
지금도 벚꽃은 야속하게도 떨어지고
그 대가는 천천히 흩날리는 슬픔이다

응 맞아.
이게 맞는 거야.
나는 키스를 받을 자격이 없었던 거야.
나는 단 한 번도
너의 그 미소를 제대로 담지 못했다.

나는 너에게 좋은 남자가 아니었고
나는 너에게 많이 웃어주지 못했고
나는 너에게 좋은 말들 많이 못 해줬고
나는 너에게 맛있는 거 많이 못 사줬고

나는 사진을 잘 찍지 못한다.

사랑의 세계를 창조하라

그저 나아가라.
오직 그대 사랑만 믿어라.
타인의 말에 휘둘리지 않고
타인의 말에 타협하지 않고
오직 자기 사랑만을 믿은 채
더 깊은 사랑 속으로
더 깊은 사랑 속으로

자기가 옳은지 그른지 고뇌에 빠지지 말라
자기 자신이 옳다고 믿으라는 것도 아니다
자신이 가는 길은 모두 사랑으로 바뀔 거라 믿는 것이다
내가 가는 그 길이 곧
위대한 사랑의 길이라고 믿는 것이다!
그대는 개척자! 어둠을 항해하는!
그곳엔 길을 알려주는 등대도 희망도 없지만
그보다 더한 광기가 그대 가슴속에서 불타고 있다.
그것은 옳고 그름 같은 가치를 불태우고
어떠한 지표를 계속해서 보여줄 것이다.
오직 그대의 사랑만이 세상 가득 울부짖을 것이다.
그리고 그곳엔 기존의 도덕적 가치는 없고
그대가 세운 새로운 법칙이 고고하게 빛날 것이다.
오직 그대의 사랑만이 세상 가득 울부짖을 것이다.
위대한 사랑이 세상 가득 울부짖을 것이다
사랑은 새로운 기준을 세울 것이다
그것은 새로운 규칙과 존재를 만들 것이다

사랑 가라사대, 새로운 세상이 도래할 것이다

Chartism Mexican

군중들의 위대한 행렬
군중들의 위대한 발악

거짓 세계를 깨기 위한 발악
거짓 세계를 깨기 위한 역학

"사랑, 자유, 진실"
"사랑, 자유, 진실"

군중들은 사랑과 진실 원하며 파멸
시위대의 영웅 어느 멕시코 여자

그녀의 이름은 맥신
그녀의 이름은 Maxine

사랑, 자유, 진실

위대한 고대 아즈텍 문명
위대한 고대 아즈텍 문명과 사랑!

파괴, 세계, 창조

Quesadilla 먹는다 케사디아 먹는다
무장한 Allie 순결한 Allie의 squad 케사디아
무장한 Allie 순결한 Allie의 squad 케사디아
검은 눈동자 검은 눈의 여자
검은 눈동자 검은 눈의 여자 이름은 Allie
깍쟁이 여자 minx 이름은 Allie 이름은 Allie
아무것도 모르고 아무것도 모르는 채
아무것도 모르고 아무것도 모르는 채로

분대는 아름다운 식사를 마친다
분대는 아름다운 최후를 마친다
거짓된 세계를 행렬의 세계를 파멸시키기 위해
거짓된 세계와 새로운 세계 창조를 위해
행렬로 계산되는 이 거짓 세계 파멸시키기 위해!
행렬로 계산되는 이 거짓 세계 망쳐버리기 위해!
어째서 기본 물리량에 거짓 흔적이 있습니까?
어째서 기본 물리량에 거짓 흔적이 있습니까!
행렬로 계산되는 이 거짓 세계 망쳐버리기 위해!
행렬로 계산되는 이 거짓 세계 파멸시키기 위해!

aim 거짓말의 지배자
aim 거짓말의 세계 지배자!
hunch 한다 세계에
hunch 하며 세계에
광기로 얼룩지며 마침내 세상 구할 key
광기로 얼룩지며 마침내 세상 구할 key
마침내 세상 구할 열쇠 얻고 마침내 창조하고
마침내 세상 창조 열쇠 얻고 마침내 창조하고
hie 나머지 잔당 사랑으로 죽이고
hie 나머지 잔당 사랑으로 죽이고
AK 조준하고 정확히 학살
AK 조준하고 정확히 학살
munchy 소리 munchy의 소리! 아아
munchy 소리 munchy의 소리! 아아

오독 오도독 소리 그 소리는 그것의 최후에서
오독 오도독 소리 그 소리는 지배자 최후에서
아아
죽어버리는 가상 세계...
죽어버리는 가상 세계...

chartism mexican 그리고
marxist mechanic 그리고
matrix mechanics
matrix mechanics는
mechanistic Marx
mechanistic Marx는
아아 Chartism Mexican과 matrix mechanics
아아 Chartism Mexican과 matrix mechanics

-act Maxine smirch!

검은 눈동자 그녀는 맥신
검은 머리색 그녀는 Maxine

사랑스러운 시위대와 새로운 세상
사랑스러운 시위대와 또 다른 세상

그녀는 웃을 것이다
아무것도 모르는 채
그녀는 웃으며 커피를 마실 것이고
행복한, 역사상 가장 우아한 미소를 지을 것
아무것도 모르는 채로
아무것도 모르는 채
아무것도 모르는 채
행복한, 역사상 가장 우아한 미소를 지을 것
아무것도 모르는 채

아름다운 채!

갑자기 드는 생각!

그런데 그녀는 진실일까? 실존할까!

혹시 그녀마저 이 새로운 세계마저 거짓?

혹시 그녀마저 지금의 세상마저 누군가의 계략?

그 생각을 하자마자 그녀가 크게 입을 벌리고!

무거운 중력이 느껴지고 그 안에서는 클래식 음악!

그녀의 검은 입에서는 클래식 음악이 흘러나오고

갑자기 그녀의 모습이 픽셀이 깨져 보이기 시작!

이런!

맥신의 비극!

맥신의 비극! 맥신의 진실의 비극!

맥신의 우울하고 슬퍼지는 비극과 그 세레나데!

맥신의 인생 최악이자 죄악의 비극과 그 세레나데!

비극!
비극!
이런!
비극!
비극!
역사상 가장 처절한 비극!
그런데 아무것도 모르는 채 matrix mischance!
그것도 아무것도 모르는 채 matrix mischance!
역사상 가장 처절한 절규하는 여자 맥신의 비극!

-act Maxine smirch!

역사상 가장 처절한 절규하는 여자 맥신의 비극!

-act chimeras minx!

시인은 말했다.

<Chartism Mexican>

이 시는 처음부터 끝까지

애너그램으로 이루어진 암호 같은 시라고.

이 우주의 모든 비밀을 담았다고, 위대한 시라고.

키메라의 위대한 대칭이 존재한다고 강조하였다.

aim, hunch, key

이 단어에 우주의 비밀이 담겨 있다고 말하며

키메라의 위대한 대칭이 존재한다고 강조하였다.

별들이여, 영원한 안식을!

흑맥주를 마시고 있다.
사랑하는 연인과 함께.
밤공기를 마시며. 강 옆에서.
우리는 지금 노래가 잔잔히 흘러나오고 있는
사람 적은 작은 가게 앞.
모처럼 돈이 생겨서 그녀와 술을 먹는 중.

흑맥주는 한 병밖에 사지 않았다.
그녀는 선천적으로 손에 차가운 것을 들지 못해
흑맥주는 내 손에 들려있다.
그녀가 차가운 것을 들면 알레르기.
저주받은. 저주받은.
피부가 도마뱀처럼 변해버리는.
그리고 머리에서 뿔이 자라나고
눈과 코와 귀에서 검은 피를 흘리며 죽어버리는 것.
저주받은. 저주받은.
아멘. 아멘.

어느새 전통 노래로 노래는 바뀌고
분위기는 한껏 달아오르고
강에는 펼쳐지며
옛 죽은 불빛이 흐뭇하게 웃고
현재의 불빛이 펼쳐지며 흐뭇하게 흐지러지며
그리고 그 풍요로운 술 아래로는
사람들이 안주를 먹으며 수다를 떨고
물감은 휘몰아쳐 별빛이 되어
과거로부터 도달하여 폭풍이 쏙 오듯이
미래를 맞이하는 것이다.

가게 내부에는
원주민 전통 마스크 장식이 보이며
커피 냄새가 나며 아아 이것은
고양이의 변으로 만든 그 비싸다는 커피 같다.
그녀가 좋아하는 커피인데.
사주고 싶은데 방법이 없다.
아아 고양아 고양아
박스에 들어간 너는
어둠의 독성물질을 결국 먹고야 말았는가.
너는 살았니 죽었니
가여워라 가여워라

망치를 들고 상자를 부수고
세상을 망치렴.
다 엉망진창으로 왜곡시켜 버리렴.
내가 응원할게.
내가 응원할게.

어서 두 발로 일어나 주인을 망치로 때려죽이렴.

저녁의 냄새가 난다.
밤 특유의 바람 냄새. 강 비린내가, 코끝을 조금은.
아주 약간은 핥고 쉭 떠난다.
왜인지 모르겠는데
무척이나 그리운 고향 같은 냄새.
잔잔한 노래에 그녀는 조용히 창밖을 바라본다.

가게 안 사람들.
약간은 지저분하고 궁상스러운 느낌
의 사람들.
어떻게 보면 평범하기도 하고 일상적이기도 한
사람들은 소소하지만 행복해 보이는.

이 가게 풍경은.

사람들이 담소를 소소하게 나누며
가게 바깥에는 작은 나무들이 많이 있는데
모든 나무에 알록달록 조명들을 잔뜩 달아놓아서
그곳에서 아이들은 뛰어다닌다. 꿈을 꽈악 끌어안고.
아이. 미래.
사진을 찍는 가족도 있다.
어떤 연인은 별을 바라보던 노파에게
사진 찍어줄 것을 부탁한다.
노파는 마시던 B-52를 내려놓고
흔쾌히 찍어준다.
플래시 불빛이 번쩍하고 나온다.

어느샌가 나는 내 연인의 눈동자를 보고 있었구나.
사랑스러운 그녀의 눈동자 속에는
온 우주가 담겨 있으니까.

그녀가 차가운 흑맥주 병을 손에 들고 내게 묻는다.
흑맥주
마실래?

그 순간
그녀와 나는 신기하게도 동시에 웃음을 터뜨린다.
그리고 동시에 눈물을 흘린다.
물론 그것은 기쁨의 눈물.
지금 이 순간이 너무 행복하다.
불안하다.
이렇게 너무 행복하면 안 되는데.
불안한데.
무슨 일이 생길 것만 같아
강은 도도하게 흘러가고
그녀의 눈동자 속에서 파란색 빛들이 합창하며 섞인다.
사실 그것은

옆 테이블에 앉아있는 노인의 믹스커피 위 거품.
거품은 움직이며 섞이며 섞이고
새로운 모양을 만들고
멈췄다가 만들어 내고 사라지고
그녀는 그녀 몸속에 불안정함을 가지고 있다
저 하늘 위 위대한 존재들처럼.

그래 그들처럼
그래서 그녀는 빛난다
그러나 언젠가는 사라진다
그녀도 나도 우리 모두도
그리고 그 불안정함은 새로운 것을 창조하고
파괴하고 경멸하고 모욕하고 아름답게 빛나므로
우리는 이 위에 아래에 살아가며 유영하는 방관자.
관찰자.
나는 너의 눈만 바라볼게.
너를 보면 모든 우주를 깨달을 수 있어.
너의 맑은 눈동자에는 온 우주가 다 들어있어.
너의 눈동자 속에는 악마가
그리고 그 혐오스러움 너머에는

천사와 친절과 광기가 있다.
그리고 우리의 영혼은
새로운 것을 만들어 내고 싶어 하는 미칠 듯이 타오르는
불구덩이와 그것을 억누르고 싶고 자유를 추구하는
모순이 들어있어.
그래서 아름답다. 고뇌해라. 그대여.
고민에 빠지고 수렁에 빠져라.
번뇌의 세상에서 가시밭길을 걷는 것뿐.

그리하여 역겨움에 구토하며 상처투성이인
몸뚱어리를 비틀비틀하며 이끌고 기어갈 뿐이다.
그리고 그 아래로는 장미가 가득할 것이다.
깨달을 날이 올 것이다.
매일 사람들의 머리가 잘려서
그 머리는 목에서부터 땅으로 툭 툭 떨어지고
그곳에서부터 장미가 쏟아져 나온다.
새빨갛게. 아름답고 예쁘고 정열적인 빨간색으로.
그리고 지고 또 피고
피고 지고 또또 피고

아그네야스트라 아그네야스트라
고통의 물레방아여 쏟아져라 쏟아지고 휘몰아쳐라
슬프게도
아프게도 물레방아여 떨어져라 솟구쳐라 돌아쳐라
폭포처럼

그러나 너무 길어 결국 공허의 암흑에너지로
그것은 사랑의 일출 저 너머로

폭풍처럼

장미 가시가 아파서 울고 있을 때
손에서는 피가 질질 흐르고
상처 사이로 꽃의 진물이 들어가 쓰라려울 때
피 냄새와 꽃 냄새를 구분하기 힘들어졌을 때
새롭게 피어난 꽃들을 짓뭉개고 기어갈 때
지치고 지쳐서 모든 것을 포기하고 싶을 때....
우리는 사실 장미밭 한가운데에 있다는 것을.
우리는 무한한 장미밭의 중심에 있다는 것을
깨달을 것이다.

기어가도 기어가도 끝은 없다.
언제나 중심은 나다.
우리가 앞으로 얼마나 나아가더라도
늘 중심의 위치는 나로 고정되는 것.
벗어날 수 없다.
이 죽음의 꽃밭에서.
향에 취해 상처투성이로 나아갈 뿐이다.
얼마나 낭만적인가! 얼마나 처절하고 전투적인가!
전쟁!
그대여. 그러면 신이 오겠지. 그리고 신께서 새로운
고통을 주시겠지.

우리는 공중으로 날아올라 밤하늘을 걸어가고 우
리가 밟는 그곳으로는 새로운 길이 생긴다. 빨간
색. 때로는 분홍색. 때로는 파란색. 순수한 영혼의
엑기스. 그러니 우리 신을 찬양하자. 신께 항상 찬
양의 기도를. 아멘. 거룩하신 신이시여. 사람을 죽
인 나를 용서하소서. 그리고 이 모든 전쟁을 끝내

주시옵소서. 아멘. 하늘에서 그녀와 나는 공중에서 떠서 아래를 내려다본다. 아래로 강이 보인다. 어둠의 정수가 가득한 뱀의 강인 거처럼만 보인다. 강의 뿌리는 대지를 뚫고 내려가 뜨겁고 역하고 욕심과 고통만이 가득한 지옥까지 닿은 듯만 하다. 지옥에서부터 뜨거운 물이 콸콸 올라오고 신으로부터는 차가운 비가 줄줄 내린다. 거룩하신 신이시여. 나의 자유를, 개인의 자유를 허락해 주시옵소서. 그대 신이시여. 집단의 광기에 정의의 검을 휘두르소서. 아멘.

기도를 올리자 어둠의 강 위로 거대한 스테인드글라스가 생긴다. 강에 반사된 여러 가지 색의 불빛들이 위대한 신의 명령에 따라 혀에 물감을 묻히고 자기들끼리 손을 잡고 춤을 추기 시작한다.

혀를 쭉 내밀고. 혀를 쭉 내밀고.
서로 키스하며. 서로 키스하며.
딥 키스.

축제 시작.
거룩하신 신이시여.
우리 민족을 번영케 하시고 발전하게 해주시옵소서.

아멘.
기도를 올리자 환희의 스테인드글라스는 유리가 고르지 못하고 왜곡되어 보이지만 무언가를 그리기 시작.
위대한 불안이 감돈다. 혼돈의 광기가, 우리의 가슴속에서부터 뜨겁게 끓어오르기 시작한다.
기쁨의 긴장이, 행복한 불안정함이
저 아래서부터 점점 끓어오르기 시작한다.
너는 악마야. 너는 악마야. 악 속으로 떨어진다. 지옥의 불구덩이에. 그러나 너의 눈동자 속에는 오직 천국으로 가는 날갯짓밖에 보이질 않는데.

거룩하신 신이시여. 우리에게 많은 음식과 포도주를.
그리고 맹수로부터 살아남는 법을 알려주시옵소서.
아멘.

기도를 올리자 환희의 스테인드 글라스는 왜곡이 없어지고, 그 아래로는 우아한 노동자들이 키스를 하며 춤을 추고, 서로 손뼉 치며 아름다운 동작을 하며 물감질을 한다. 스테인드 글라스는 마침내 완벽한 모습이 된다. 그곳에 그려지는 펜타그램. 그 위대한 그림이 찬란하게 빛을 낸다. 예로부터 이어지는 위대한 순간! 찬란한 빛은 별을 산란하고 별은 소용돌이치며 근처 빛을 모두 잡아먹고 거인이 되어 포효한다. 그 포효는 곧 폭풍이 되어 물감통에서 물감을 꺼내 알록달록 강에 붓칠을 하기 시작한다. 흐뭇하고 여유롭고 우아하게, 그 누구보다 아름다운 색깔로 빛을 콕 콕 찍는데, 도화지는 따뜻한 포도주에 촉촉하게 젖어있는 상태라서 붓으로 찍은 빛들은 옆으로 번진다. 퍼진다. 때로는 서로 섞여 새롭게 되기도 한다. 빛들은 휘몰아친다. 자기의 색깔을 주변에 따뜻하게 전염시킨다. 촉촉하게. 구원을 주면서.

언젠가는 사랑하는 그녀도 죽고 말겠지.
죽고 부수어져서 어지럽게 흐트러지겠지.
잊고 싶지 않은데. 사랑하고 싶은데.
그녀의 아름다움 영원히 찬양하고 싶은데.

불현듯 그런 생각과 불안이 생기는데
나는 내가 강 쪽을 바라보고 있다는 사실을 깨닫는다.
내 정신은 다시 강으로 빠진다.
강에는 오리들이 유영하고 있고
그 물살들은 소용돌이치며 한곳으로 모이듯이 퍼져서
강에 반사되던 별빛들은 서로 섞여서
그 형체는 새로운 아름다움을 창조하고
다시 사라지는데
갑자기 볼에 감각이 느껴진다.
그녀가 가볍게 입을 맞추며 웃는다.
"뭔 생각해?"
나도 그녀를 마주 보며 행복하게 웃는다.
다시 강을 바라보니 멈췄던 오리들은
잠시 후 움직이기 시작하고
사랑의 톱니바퀴도 돌아가기 시작한다.

과거 성실했던 죽은 오리가 있다.
동료 무리들은 그것이 죽은 지도 모른다.
그것의 이름도 인생도
그것을 아는 이 하나 없고 그것은 홀로 죽었다.
죽은 오리는 곧 썩어서
온몸이 공중에 뜨고 보이지 않게 되고
공허하게
칠흑같이
섞이고 섞여서 어느새
사라진 것처럼 보인다.

강.

동료 무리들이 아무것도 모르고 갈 길을 간다.
강물 위에 둥둥 떠서.
강물은 움직인다.
그리고 그 강물에서 썩은내와 악취가 나고
왠지 모르게 동료 오리들은 아름다워진다.
사랑의 톱니바퀴는 돌아가고 있다.

노인은 컵을 들어 믹스커피를 마신다.

고소한 냄새가 나무판자 향기 타고 들리고
아아, 주방에서는 맛있는 은하수를 하고 있구나.
우리에게 선물하고 싶다.
별 이름을 따서.
소금 많이 뿌려서. 반짝반짝

화장실을 가려고 일어나는데
화장실 문 옆벽에 예쁜 그림이 걸려 있다.
세상에서 가장 예쁘고 아름다운
한 여성의 초상화가 있다.
나의 어머니의 초상화가 있다.
나는 아무리 가도
그곳에 닿을 수 없다.
그곳에 닿을 수 없다.

어머니는 항상 그렇듯 흐뭇하게 웃고 계신다.

그러니
나도 소리 내어 웃어버리자.
언젠가는 나의 초상화도 어머니 그림 옆에 걸려서
누군가에게 전해져서

칠흑 같은 영원한 어둠 속에서
누군가에게 하나의 등대가 되어

우리는 고독으로...
고독으로...

마침내 시인은 사랑에 대한 모든 걸 전했다.

시인은 키메라로 변해 그들을 떠났다.